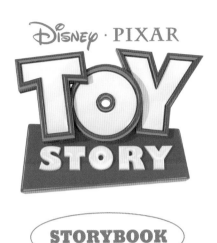

DISNEP · PIXAR

STORYBOOK

samhoETM

CONTENTS

STORYBOOK

Disney · PIXAR
TOY STORY

주요 등장인물 소개

우디

버즈

미스터 포테이토 헤드

렉스

슬링키

햄

보핍

군인 병정 장난감들

RC카

시드의 장난감들

그 외 인물

앤디

시드

앤디가 가장 사랑하는 보안관 장난감 우디.

오늘은 앤디의 생일 파티.

앤디의 생일 파티가 열리면 장난감들은 초긴장 상태다.

장난감들은 자신보다 더 귀엽고 신나는 기능이 있는

장난감이 나타날까 봐 두려워한다.

66

앤디가 누구를 제일 좋아하느냐는 중요하지 않아.
중요한 건 우린 앤디가 원할 때 같이 놀아준다는 거야.
우리가 있는 이유가 그거잖아?

99

앤디의 생일 선물 버즈 라이트이어.

버즈는 자신이 외계에서 불시착한 우주 전사라고 믿고 있다.

앤디의 방은 버즈로 채워져 간다.

우디는 자신감으로 가득 찬 버즈를 질투한다.

“
네 생각에는 정말 네가
버즈 라이트이어인 것 같아?
”

앤디가 외출하는 날.
우디는 앤디의 외출 상대로 뽑히고 싶어 버즈를 골탕 먹이려고 한다.
하지만 버즈는 우연한 사고로 집 밖에 떨어져 버린다.

장난감들은 우디가 고의적이었다고 의심한다.

> 앤디가 가장 좋아하는 장난감이
> 버즈라는 것을 인정할 수 없었던 거야!
> 그래서 없앤 거지?

버즈가 사라져 우울한 앤디는 우디와 함께 외출한다.
길을 잃은 버즈는 주유소에 들른 앤디네 차를 발견한다.

버즈, 너 무사하구나! 정말 다행이야. 난 살았다. 살았다고!
앤디가 우릴 발견하면 집으로 데려갈 거고,
그럼 네가 해명 좀 해줘. 모든 게 다 우연한 사고였다고 말이야.
알았지, 친구야?

다시 만난 우디와 버즈는 말싸움을 하게 되고,
다툼을 벌이다 차에서 함께 떨어져 버린다.

내가 없어진 것도 모르나?
난 길 잃은 장난감이야.

"
넌 장난감일 뿐이라고!
넌 진짜가 아니야. 단지 모형일 뿐이야!
애들 장난감에 지나지 않는다고!
"

"
넌 참 부정적이고 이상한 애야.
정말 불쌍해. 잘 가라.
"

앤디를 찾으러 떠나는 우디와 버즈.

하지만 우디가 한눈판 사이에 버즈가 인형 뽑기 기계 안에 들어간다.

때마침 동네에서 장난감 괴롭히기로 악명 높은 시드가

버즈와 우디를 뽑게 된다.

시드의 집으로 가게 된 우디와 버즈.

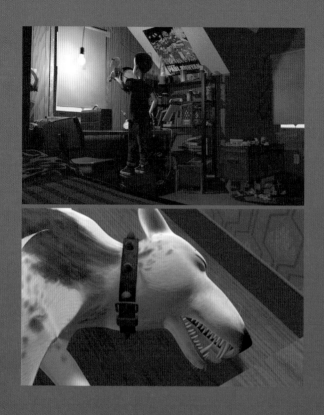

시드의 괴롭힘은 계속되고,
우디와 버즈는 시드의 집에서 탈출하기로 마음먹는다.

탈출하던 버즈는 우연히 TV에서 버즈 라이트이어 광고를 보고,
자신 또한 한낱 장난감이었음을 깨닫게 된다.

충격에 빠진 버즈.

끝났어, 다 끝났다고. 너무 허망해.
난 내가 우주 특공대인 줄 알았는데,
지금은 이렇게 모자에 앞치마까지 두르고 아줌마 노릇을 하고 있잖아.
이 모자 보이지? 난 이제 데스빗 부인이라고.

우디는 탈출에 힘쓰지만, 버즈는 충격에서 헤어 나오지 못한다.

그런 버즈에게 우디는 '앤디의 장난감'이라는

존재의 이유를 가르쳐준다.

"

저 집에 사는 꼬마가 너를 최고라고 생각하고 있어.
그건 네가 우주 특공대라서가 아니야.

그건 네가 장난감이기 때문이야. 앤디의 장난감 말이야.
너 자신을 봐. 넌 버즈 라이트이어야!

"

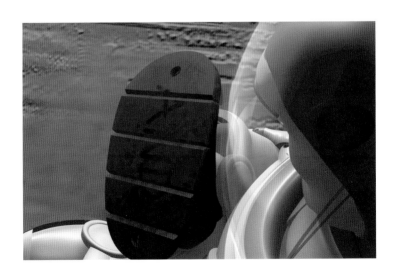

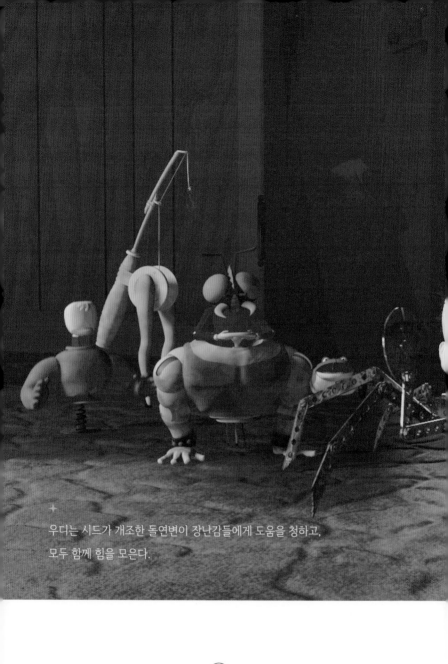

우디는 시드가 개조한 돌연변이 장난감들에게 도움을 청하고,
모두 함께 힘을 모은다.

앤디네 가족이 이사 가는 날.

시드는 버즈를 하늘에 쏘아버리려 계획하지만,
돌연변이 장난감들의 도움을 받아 탈출에 성공한다.

우디와 버즈는 탈출에 성공하지만,

앤디네 이삿짐 트럭은 이미 출발해 버린 뒤다.

우디와 버즈를 구하기 위해 앤디의 장난감들은 최선을 다하지만 결국 실패하고 만다.

낙담하던 우디는

곧바로 시드가 버즈에게 설치해 놓았던 로켓을 생각해낸다.

비행에 성공하는 우디와 버즈.

> 이봐, 버즈! 너 날고 있구나.
>
> 이건 나는 게 아니야! 약간 폼나게 떨어지는 거지.
>
> 무한한 공간 저 너머로!

우디와 버즈는 비행에 성공하고 앤디와 재회한다.

둘은 그렇게 서로를 이해하는 친구가 되었다.

Disney · PIXAR

TOY STORY 2

STORYBOOK

주요 등장인물 소개

우디

버즈

제시

미스터 포테이토 헤드

미세스 포테이토 헤드

렉스

슬링키

햄

외계인 삼총사

위지

불스아이

스팅키 피트

저그 황제

그 외 인물

앤디

알 맥휘긴

평화로운 어느 날, 앤디는 카우보이 캠프에 갈 준비를 한다.
카우보이 캠프는 앤디와 우디가 1년 중 가장 기대하는 날이다.

하지만 카우보이 캠프에 가기 전,
앤디와 놀다가 우디의 팔이 뜯어지고 만다.

앤디는 우디의 뜯어진 팔을 보고 혼자 카우보이 캠프에 간다.

66

속상하겠구나, 앤디.
하지만 장난감은 망가지기 마련이야.

99

카우보이 캠프에 못 가게 된 우디는 우울해하다가
앤디가 자신을 버릴지도 모른다는 생각에 빠진다.

앤디가 카우보이 캠프에 간 사이,
앤디의 엄마는 쓸모없는 물건들을 처분하기 위해 집 앞에서 바자회를 연다.

앤디의 엄마는 고장이 나서 소리가 나지 않아 선반 구석에 있던
위지를 팔기 위해 챙겨 나간다.

위지가 바자회에서 팔릴 위기에 처하자
우디는 몰래 나가서 위지를 구한다.
하지만 우디는 바자회가 열리는 마당 한 가운데에 떨어지고 만다.

때마침 지나가던 대형 장난감 가게를 운영하는
토이 수집가 알 맥휘긴이 우디를 주워 가져간다.

그 모습을 본 장난감들은 우디를 구하기 위해 모험을 떠난다.

험난한 여정 속에 장난감들은 서서히 지쳐간다.

한편, 알 맥휘긴의 아파트에서 탈출하기로 결심한 우디는
그곳에서 제시, 불스아이, 스팅키 피트를 만난다.

그들은 우디와 세트로만 팔릴 수 있었기에
우디만을 기다리고 있던 장난감들이었다.

그리고, 우디 마니아 알 맥휘긴의 수집품을 보며
우디는 자신이 많은 사랑을 받았던 존재임을 깨닫는다.

그게 얼마나 오래갈까, 우디?

앤디가 대학에 갈 때도 자네를 데리고 갈까? 신혼여행을 갈 때도?

앤디는 어른이 될 거고, 그건 자네 힘으로 막을 수가 없어.

우리는 에밀리나 앤디 같은 애들을 절대로 잊지 못해.
걔네들은 우리를 잊지만.

스팅키 피트와 제시의 사연을 듣고 마음이 약해진 우디는
그들과 함께하기로 마음먹는다.

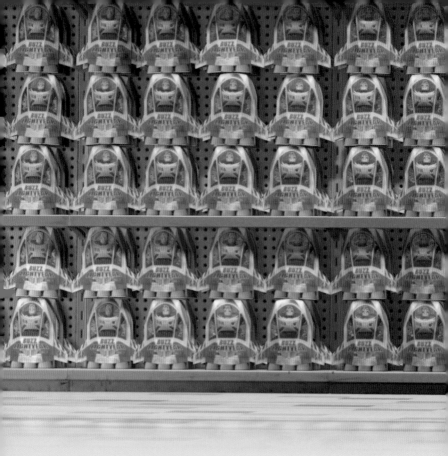

한편, 장난감 가게에 도착한 장난감들은
그곳에 우디가 없다는 것을 깨닫고
알 맥휘긴의 아파트로 이동하다 버즈의 숙적 저그 황제를 깨운다.

알 맥휘긴 아파트에 도착해 우디를 만난 장난감들.

마침내 우디를 만나지만 그는 제시와 불스아이,
스팅키 피트를 위해 떠나지 않겠다고 한다.

66

이 세상 모든 장난감들은 네가 전에 말했듯이
어린이들에게 사랑받으며 행복하게 살아야 해.

그래서 우리가 너를 구출하려고 이 먼 길을 온 거야.
집에 돌아가기 위해서 말이야.

99

우디를 구하러 왔던 장난감들은 실망하며 돌아가고, 우디는 깊은 생각에 빠진다.

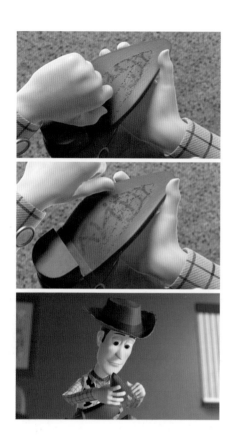

우디는 고민 끝에 버려진다는 두려움보다
앤디와 함께하는 즐거움이 컸다는 걸 깨닫고,
앤디와 장난감 친구들에게 돌아가기로 결심한다.

그때, 스팅키 피트가 우디를 막아서고
외출하고 돌아온 알 맥휘긴 때문에 우디는 떠나지 못한다.

우디를 다시 만나러 온 장난감들은
뒤쫓아온 저그 황제를 물리치지만 우디는 구하지 못한다.
하지만 포기하지 않고 일본으로 출국하려는 알 맥휘긴과 우디를 쫓아간다.

장난감들은 스팅키 피트에게 붙잡혔던 우디와

비행기에 실릴 뻔한 제시, 불스아이까지 구해낸다.

먼 길을 돌아온 앤디의 방은 안락함으로 가득하다.

앤디라는 새로운 가족이 생겨 제시와 불스아이는 기쁘다.

✦

카우보이 캠프에서 돌아온 앤디는 뜯어진 우디의 팔을 고친다.

사실 앤디는 우디의 팔이 완전히 뜯어질까 봐

카우보이 캠프에 데려가지 않은 것이었다.

앤디의 진심을 알게 된 우디는 더 없이 행복해한다.

STORYBOOK

Disney · PIXAR
TOY STORY 3

주요 등장인물 소개

우디

버즈

제시 & 불스아이

햄

외계인 삼총사

미스터 포테이토 헤드
& 미세스 포테이토 헤드

렉스

슬링키

보니의 장난감들

랏소 베어

빅 베이비

켄 & 바비

그 외 인물

앤디

앤디 엄마

보니

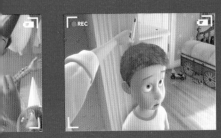

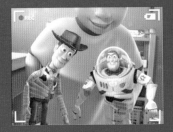

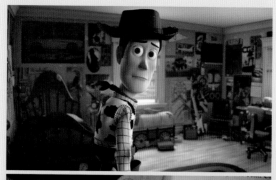

시간이 흘러 대학생이 된 앤디.

모든 장난감들이 겪는 가장 슬픈 일은
주인이 성장해 더 이상 자신과 놀아주지 않는 것이다.
앤디의 장난감들에게도 그 위기가 찾아온다.

“

우리 임무는 다했어. 앤디가 컸으니까.

”

앤디는 성장하며 더 이상 장난감을 가지고 놀지 않게 되었고,
몇 개의 장난감을 제외하곤 대부분 없어졌다.

대학 진학을 위해 앤디는 집을 떠날 준비를 한다.

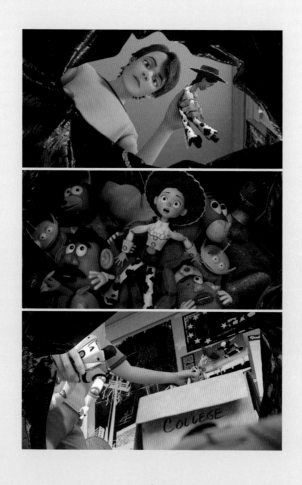

앤디는 장난감들을 봉지에 담아 다락방에 정리하고,
우디만 기숙사에 데려가기로 한다.

하지만 앤디가 자리를 비운 사이

앤디 엄마는 장난감들이 담긴 봉지를 쓰레기라 생각하고 버린다.

＋

간신히 봉지에서 탈출한 장난감들은 앤디에게 버림받았다고 오해한다.
우디는 장난감들을 설득하지만, 그들은 버려지느니
앤디 엄마가 기부할 어린이집에 가겠다고 결정한다.

어린이집에 도착한 장난감들.

어린이집에서 많은 장난감들과 그들을 이끄는 랏소 베어를 만난다.

66

애들이 자라게 되면 새로운 애들이 와.
큰애들은 가고 어린애들이 오게 되는 거지.

여기서는 절대 늙거나,
무시당하거나, 버려지거나, 잊히지 않아.
주인이 없으면 마음 아플 일도 없어.

99

✦

우디는 장난감들을 설득하지 못하고,

혼자 집으로 돌아가던 중에

어린이집을 다니던 보니의 눈에 띄어 보니네 집으로 가게 된다.

우디는 보니의 장난감들에게 뜻밖의 이야기를 듣게 된다.

어린이집을 이끄는 랏소 베어는 원래 온순한 장난감이었지만,
주인 데이지에게 버림받은 뒤로
갑자기 변해서 어린이집을 장난감 감옥으로 만들었다는 것이다.

이 이야기를 들은 우디는 장난감들을 구하기 위해 어린이집으로 떠난다.

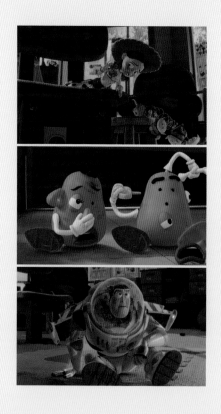

한편, 앤디의 장난감들은 설레는 마음으로 새로운 아이들을 맞이하지만,

현실은 생각한 것과 달랐다.

장난감들을 대하는 아이들의 거친 손길과 행동은

장난감들이 꿈꿔왔던 모습이 아니었다.

장난감들이 꿈꿨던 곳은 조금 더 큰 아이들의 공간인 나비방이었다.

앤디의 장난감들은 랏소 베어에게 나비방으로 이동시켜달라 요구하지만,
랏소 베어는 그들을 가두고 버즈의 기억을 리셋시키기까지 한다.

케이지에 갇히는 위기에 봉착한 장난감들.

66

우디, 우리가 앤디를 떠난 게 잘못이야.
내가 틀렸던 거야.

아니야. 내가 너희만 두고 가는 게 아니었어.
이제부터는 다 함께 행동하자.

99

우디는 랏소 베어의 실체를 폭로하고,
랏소 베어의 동료들은 랏소 베어를 쓰레기 트럭에 던져버린다.

쓰레기 트럭에 빠진 랏소 베어는 우디를 끌어들이려 하고,
우디를 구하려던 앤디의 장난감들까지 쓰레기 매립장으로 가게 된다.

위험이 도사리는 쓰레기 매립장.

우디와 버즈는 위험에 빠진 랏소 베어를 구하지만,
랏소 베어는 다시 한번 배신하며 그들을 위험에 빠뜨린다.

불구덩이 앞에서 모든 걸 포기한 장난감들은 그저 손을 꼭 잡는다.

그때, 외계인 삼총사가 자신을 인형 뽑기 기계에서 집어 올리던
집게의 원리를 이용해 장난감들을 구출해낸다.

✦

한편, 가까스로 살아남은 랏소 베어는

쓰레기 트럭 운전자에게 발견되어 트럭에 묶여 사는 신세가 된다.

다시 돌아온 앤디의 집.

우디는 대학교에 갈 짐을 챙기던 앤디에게

어린이집에 다니는 보니에게 장난감을 기부하라고 쪽지를 남긴다.

앤디는 쪽지를 엄마가 남겼다 생각하고
보니에게 장난감들을 건네주러 간다.

“
얘는 제시야. 서부에서 제일 씩씩한 카우걸이야.
동물을 좋아하는데, 제일 좋아하는 건 불스아이야.
”

“
얘는 렉스야.
이 세상에서 제일 무시무시한 공룡이지.
”

"
포테이토 부부. 남편과 부인이야.
얘네는 꼭 같이 있게 해야 해. 둘이 무척 좋아하거든.
"

"
얘는 슬링키인데, 얘처럼 충실한 개는 없을 거야.
"

"

그리고 햄은 네 용돈을 잘 보관해 줄 거야.
하지만 화가 나면 아주 고약한 악당으로 변한단다.
그 유명한 꿀꿀이 박사!

"

"

이 꼬마들은 이상한 외계 나라에서 온 애들이란다.
피자 행성에서!

"

그리고 얘는… 바로 버즈 라이트이어야.

최고로 멋진 인형이란다.

얜 날기도 하고 레이저도 쏠 수 있어.

사악한 저그 황제로부터 우주를 지키겠다고 맹세했지.

얘네들을 잘 돌봐주겠다고 나랑 약속해줄래?

나한테는 아주 소중해.

66

우디는 나에게 아주 어릴 적부터 둘도 없는 소중한 친구야.
용감해서 카우보이에 딱 어울리지. 친절하고 똑똑해.

하지만 우디가 정말로 특별한 이유는
애는 널 절대 포기 안 해. 절대로.
어떤 일이 있더라도 네 곁에 있을 거야.

99

앤디는 보니에게 장난감 친구들을 소개하고 잘 부탁한다고 한다.

장난감들은 떠나는 앤디에게 인사하고,
새로운 주인 보니와 새롭게 시작하기로 한다.

66

고마워, 얘들아.

잘 가, 내 파트너!

99

STORYBOOK

주요 등장인물 소개

우디

버즈

보핍

개비 개비

벤슨

포키

듀크 카붐

더키 & 버니

그 외 인물

보니

하모니

세월이 흘러 앤디의 장난감들은
보니의 장난감으로 잘 지내고 있다.

과거에는 주인인 앤디에게 가장 사랑받았던 우디였지만

지금은 그렇진 않다.

오늘은 보니의 유치원 예비 소집일.

보니는 낯선 유치원에 갈 생각에 불안해하고 훌쩍이기까지 한다.

그런 보니의 모습을 본 우디는 걱정이 되어 가방에 몰래 숨어 따라간다.

낯가림이 있는 보니는 유치원 같은 반 친구들과 어색해한다.
우디는 보니를 위해 쓰레기통에 있던
크레파스와 소품들을 책상에 올려놓는다.

보니는 우디가 가져다놓은 소품들을 이용해
포키라는 장난감을 만든다.

우디 덕분에 유치원 예비 소집일을 무사히 마친 보니.

안심한 보니의 부모님은 캠핑카 여행을 가자고 약속한다.

장난감이 된 포키는 말을 하기 시작하고,
집으로 돌아온 우디는 장난감들에게 포키를 소개한다.

> 난 쓰레기야.
>
> 넌 장난감이야. 쓰레기가 아니라고.
>
> 쓰레기.

하지만 포키는 자신을 장난감이라 받아들이지 못하고
계속 쓰레기라고 한다.

캠핑카 여행 날, 장난감들은 보니의 가족과 함께 떠난다.

여행 가는 내내 탈출을 시도하던 포키는 결국 캠핑카에서 탈출하고,
우디는 포키를 잡으러 캠핑카에서 뛰어내린다.

"

있잖아 포키,
넌 네가 얼마나 좋은 앤지 모르고 있어.
넌 보니의 장난감이야.

보니가 평생 기억하게 될 행복한 추억을 만드는 걸
돕고 있는 거라고.

"

우디는 포키에게 과거 이야기를 해주며
포키가 보니에게 얼마나 소중한 존재인지 일깨워준다.

어느새 날이 밝아오고 우디와 포키는 캠핑카에 거의 다다른다.

그때 한 골동품 가게에서 옛 친구 보핍과 세트였던
낯익은 스탠드와 양들을 발견한다.

우디는 보핍을 찾기 위해 골동품 가게로 들어가고,
그곳에서 개비 개비를 만난다.

개비 개비는 보핍을 찾아주겠다고 했지만,
사실은 자신의 소리 상자가 고장 나서
우디의 소리 상자를 탐내고 있었다.

상황을 알아차린 우디와 포키는 도망치지만 포키는 붙잡히고 만다.

우디는 골동품 가게 주인 할머니의 손녀 하모니에게
발견되어 홀로 탈출한다.

한편, 포키가 사라진 걸 알게 된 보니는 우울해한다.

다른 장난감들도 우디와 포키를 걱정하고,

고민하던 버즈는 그들을 찾으러 떠난다.

놀이터에서 하모니가 자리를 비운 사이,
우디는 도망치다 옛 친구 보핍과 재회한다.

우디와 보핍은 그동안 어떻게 지내왔는지 이야기를 나눈다.

다시 만난 보핍은 우디가 기억하던 모습과 달랐다.
우아한 공주님 같던 보핍은
위기를 극복하는 강한 여전사가 되어 있었다.

✦

우디는 골동품 가게에서의 일을 이야기하고,
보핍은 개비 개비에게서 포키가 탈출할 수 있게 돕기로 한다.

우디와 보핍은 골동품 가게에 도착하고 버즈와도 만난다.
하지만 많은 장애물 때문에 포키를 구하는 일이 쉽지 않다.

고민하던 그때, 장난감 듀크 카붐을 만나 도움을 청하고
듀크 카붐은 옛 기억을 꺼내어 스턴트를 하기로 결심한다.

우여곡절 끝에 듀크 카붐은 스턴트에 성공하지만
포키를 구출하는 데는 실패한다.

우디는 포키를 구하기 위해
골동품 가게에 다시 들어가려 하지만 다른 장난감들은 반대한다.

포키를 구하기 위해 홀로 떠나는 우디.

> 왜 그래야만 하는데?
>
> 보니에게 포키가 필요하니까.
>
> 아니, 너에게 보니가 필요한 거겠지!

다시 소리를 내어 하모니에게 사랑받고 싶다는
개비 개비의 사연을 듣고
우디는 포키를 풀어주는 대신에 자신의 소리 상자를 건넨다.

개비 개비는 우디의 소리 상자 덕분에 소리를 낼 수 있게 되었지만,
하모니에게 다시 한번 버림받는다.

그때, 보니는 골동품 가게에 두고 간 가방을 찾으러 오고
우디와 포키는 보니의 가방에 들어간다.

하지만 버림받은 개비 개비가 걱정된 우디는
포키에게 회전목마에서 만나자고 하고 빠져나온다.

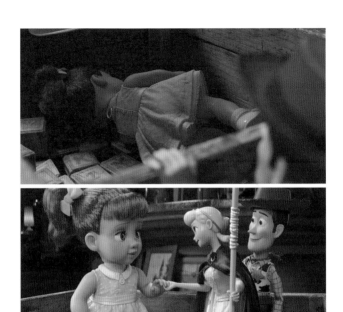

절망에 빠진 개비 개비는 우디에게 소리 상자를 도로 가져가도 좋다고 한다.

우디와 뒤늦게 우디를 구하러 왔던 보핍은 함께 떠나자고
개비 개비를 설득해 골동품 가게를 빠져나온다.

한편, 포키에게 상황을 전해 들은 장난감들은
약속 장소인 회전목마로 가기 위해 노력한다.

이건 너를 위해서야, 리장.

스턴트에 성공한 듀크 카붐 덕분에

우디와 장난감들은 보니가 탄 캠핑카를 발견한다.

그때, 개비 개비는 길을 잃어 울고 있는 한 어린아이를 발견하고
친구가 되어주기로 한다.

66

너도 길을 잃었니? 내가 도와줄게.

99

캠핑카에 도착한 우디와 장난감들.

보핍과 작별 인사를 하지만 우디는 왠지 모르게 마음이 불편하다.

이때 버즈가 우디에게 보핍과 함께 가도 괜찮다고 한다.

> 66
>
> 괜찮을 거야, 보니는.
>
> 그럴까?
>
> 친구, 네 마음의 소리를 들으면 돼.
>
> 99

고민 끝에 보니를 떠나기로 결정한 우디.
우디는 자신이 쭉 달고 있던 보안관 배지를 제시에게 주고,
지금까지 함께한 장난감들과 인사한다.

우디와 보핍은 떠나는 장난감들을 바라보며
새로운 시작을 준비한다.

“

그럼 이제 우디가 잃어버린 장난감이 된 거야?

우디는 제자리를 찾은 거야.
무한한 공간…

”

발행일 2022년 12월 20일(1판 1쇄)

펴낸이 김두영
전무 김정열
편집장 신지예   **편집** 홍나래
디자인 지혜란
제작 유정근
전략기획 윤순호, 전태웅, 권지현, 정유진, 신찬, 한재현

펴 낸 곳   삼호ETM (http://www.samhomusic.com)
          경기도 파주시 문발로 175
          전략기획개발부   전화 1577-3588   팩스 (031) 955-3599
          콘텐츠기획개발부 전화 (031) 955-3589   팩스 (031) 955-3598
등   록   2009년 2월 12일 제 321-2009-00027호

ISBN   978-89-6721-400-5

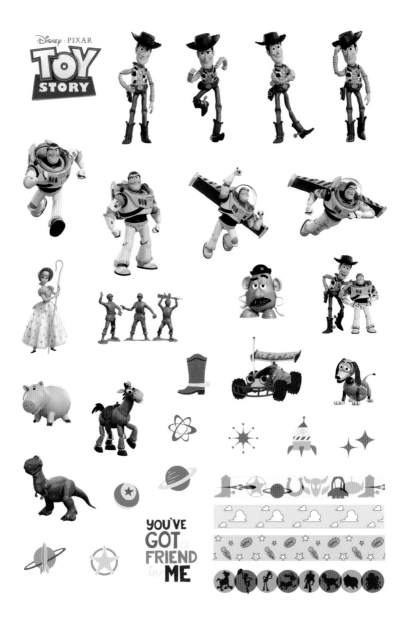